DES MÊMES AUTEURS :

DE ZEP

Les Minijusticiers
par Zep et Hélène Bruller
Hachette Jeunesse

Titeuf
Tomes 1 à 12

Les trucs de Titeuf :
Le guide du zizi sexuel
par Zep et Hélène Bruller

Petite poésie des saisons

Le Monde de Zep

Chronokids
Tomes 1 à 3
par Zep, Stan & Vince
Éditions Glénat

Découpé en tranches
Éditions du Seuil

Happy Sex
Happy Girls
Happy Rock
Éditions Delcourt

Le portrait dessiné (catalogue d'exposition)
Éditions BDFil & Le Mudac

DE TÉBO

Samson & Néon
Tomes 1 à 7

In caca veritas

In pipi veritas

Comment dessiner
par Zep & Tebo
Éditions Glénat

La bande à Fred
Éditions Bayard

Retrouvez le monde de Zep sur www.zeporama.com

Rejoins toute la bande à Tchô! sur www.letchoblog.com

www.glenatbd.com

Tchô! la collec'…
Collection dirigée par J.C. Camano

© Zep et Tébo 2006
© 2006 Éditions Glénat. BP 177- 38008 Grenoble Cedex
Tous droits réservés pour tous pays
Dépôt légal : octobre 2006
ISBN 978-2-7234-5488-9
Achevé d'imprimer en Italie en septembre 2010 par L.E.G.O. S.p.A.,
sur papier provenant de forêts de manière durable.

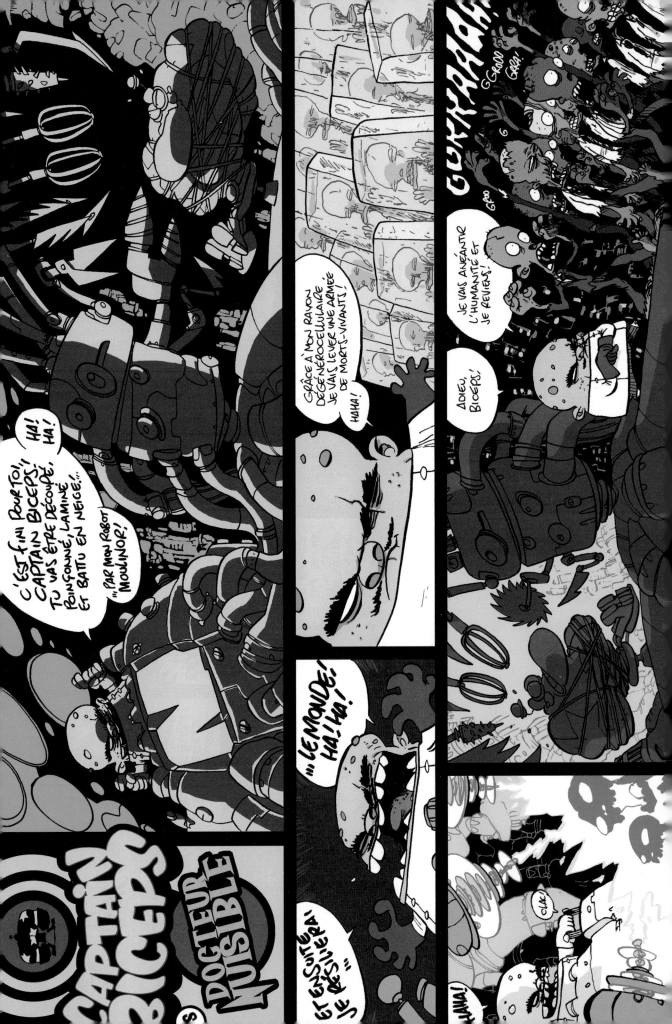

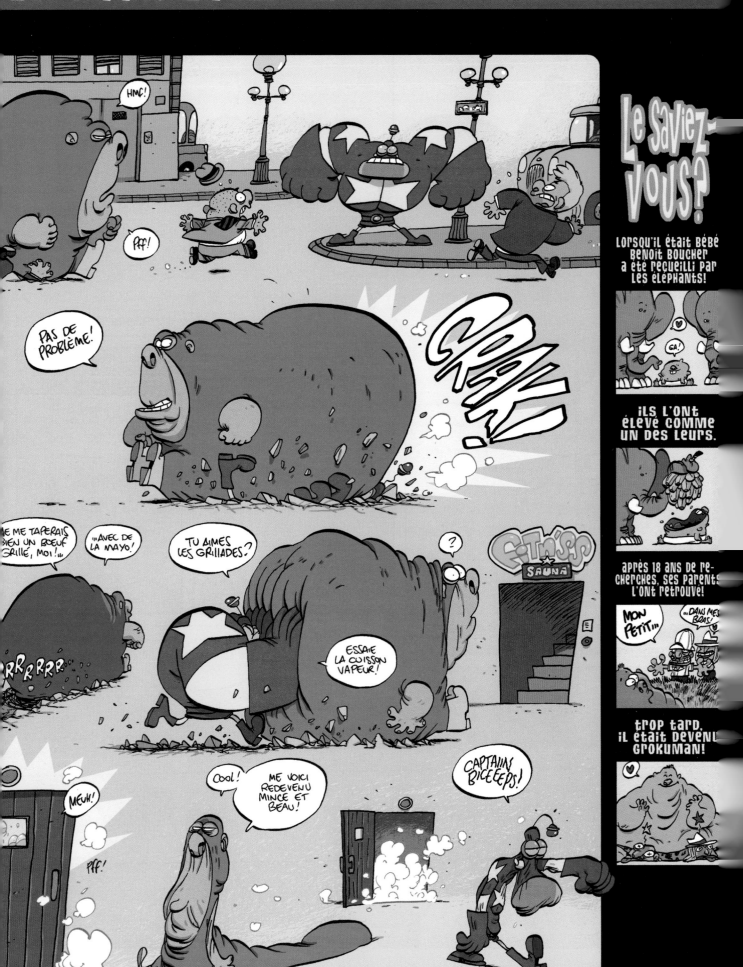

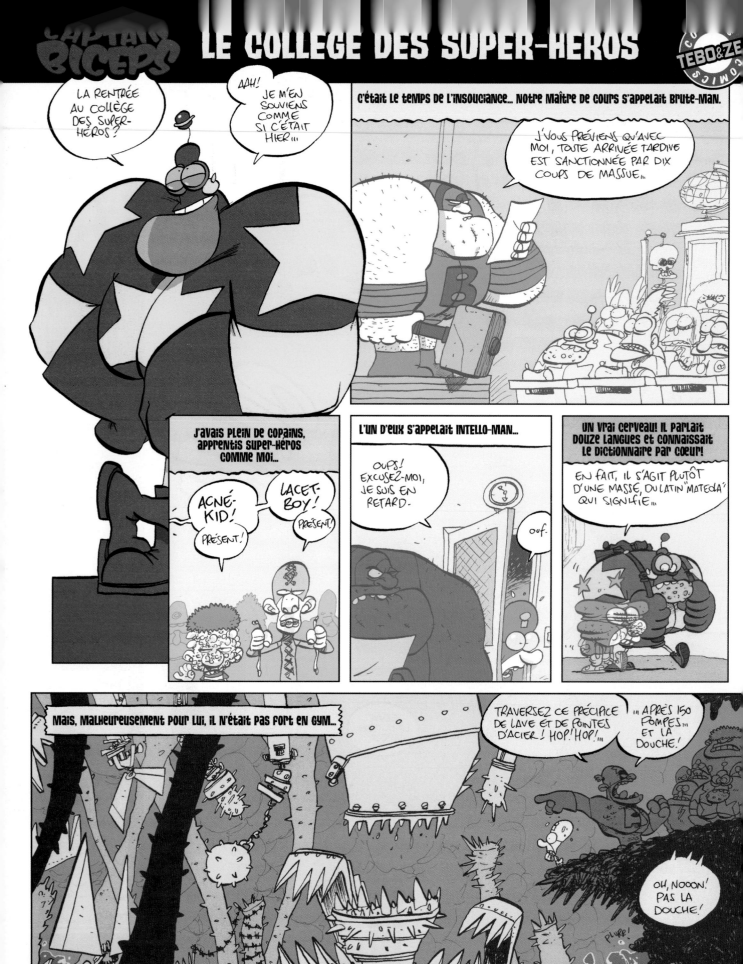

PAS TRÈS BON NON PLUS AU COURS D'HISTOIRE...

AUJOURD'HUI, NOUS ALLONS BRISER CE MANUEL D'HISTOIRE À L'AIDE DE DEUX DOIGTS!

CRITCH!

CRITCH!

CRITCH!

CRITCH!

PAREIL POUR L'ARCHITECTURE...

EXPÉRIENCE DU MARDI, DÉFONCER CE MUR DE MOLASSE ORGANIQUE, PLUS PUR STYLE FRANK LLOYD WRIGHT.

BROK!

MÊME CHOSE EN GÉOGRAPHIE...

VOTRE MISSION DU JOUR: TROUVER UN CITOYEN DU "HONDURAS"...

"ET LUI PÉTER LA TRONCHE!

IL ÉTAIT, HÉLAS, TOUT AUSSI NUL EN GRAMMAIRE...

À TON TOUR D'AFFRONTER GRAMÉHR!

GRAMÉHR" TUER!

PFRRRRFF!

INTELLO MAN A FINI PAR ABANDONNER EN COURS D'ANNÉE.

COMME DISAIT PLATON...

"JE PARS!"

EINSTEIN CLUB

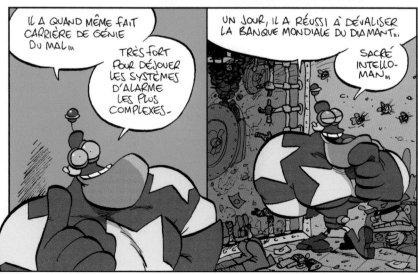

IL A QUAND MÊME FAIT CARRIÈRE DE GÉNIE DU MAL...

TRÈS FORT POUR DÉJOUER LES SYSTÈMES D'ALARME LES PLUS COMPLEXES.

UN JOUR, IL A RÉUSSI À DÉVALISER LA BANQUE MONDIALE DU DIAMANT...

SACRÉ INTELLO-MAN...

"MAIS AU FOND "

"IL EST RESTÉ LUI-MÊME!

GNN

GNiii!

"COMME DISAIT GRINGALET MAN!

$

PFF!

LES SUPER-HÉROS "PETIT BUDGET"

FRONDE-MAN

LE SURFER D'ALU

SPRINT-MAN

LES TONGS DE LA MORT

HÉLIUM-MAN

CAPTAIN AUTO-STOP

PHOTOCOPIE-MAN

LAMPE DE POCHE-MAN

CAPTAIN CHÔMAGE

RAYMONDE RATEAU

COMICS MA MAMAN COMICS

PLUS REDOUTABLE QUE WOLVORINE...

ELMER... RANGE TA CHAMBRE!

MAMAN... J'AI PAS FINI MES DEVOIRS!

PLUS DANGEREUSE QUE SCORPION-MAN...

ELMER! ...

...TU AS OUBLIÉ DE METTRE UN SLIP PROPRE!

SACRÉ ELMER RATEAU!

PLUS CRUELLE QUE DENTISTE-MAN...

MAIS MAMAN... JE DOIS ALLER SAUVER LE MONDE!

FINIS TON CLAFOUTIS DE CÉLERI!

PLUS IMPRÉVISIBLE QUE MALEFIK...

C'EST TA PETITE FIANCÉE?

...ÇA NE LA GÊNE PAS QUE TU PORTES DES COLLANTS DE FILLE?

PLUS TENACE QUE MÉDUSE...

SOIS GENTIL AVEC KIKI!

Wif!

PLUS NUISIBLE QUE LE DOCTEUR NUISIBLE...

PARFAIT... ET JE T'AI FAIT AUSSI DES CHAUSSETTES...

...SANS ACRYLIQUE... À CAUSE DE TES PIEDS QUI TRANSPIRENT!

KH

PRRF!

elmer

... ET PLUS IGNOBLE QUE LE JOKER!

ET LÀ ...

...AVEC LE PETIT CAMION ROUGE QU'ON LUI A OFFERT, LE JOUR OÙ IL A ARRÊTÉ DE FAIRE PIPI AU LIT!

AU COLLÈGE DES SUPER-HÉROS, JE ME RAPPELLE DE MON COPAIN, ANDRÉ-GEORGES...

"ON L'APPELAIT DÉDÉ"

MAIS SON NOM DE JUSTICIER, C'ÉTAIT **SCALPEL-MAN!**

IL ÉTAIT PLUTÔT BON EN COMBAT...

KIAÏ!

... MAIS ASSEZ NUL POUR LES INTERROS ÉCRITES!

ANDRÉ-GEORGES "ILLISIBLE!"

MALGRÉ SES EFFORTS IL NE PARVENAIT PAS À SE FAIRE APPRÉCIER DES PROFESSEURS.

BONJOUR MAÎTRE!

SQUIIK!

RHAAA!

C'ÉTAIT UN BON POTE... TOUJOURS PARTANT POUR FAIRE LA FÊTE...

TU ME PRÊTES TA GUITARE?

NON.

POUR FINIR, IL N'A PAS EU SON DIPLÔME DE SUPER-HÉROS... ON N'A JAMAIS SU POURQUOI...

FÉLICITA...

AH NON! PAS LUI!

?

IL AURAIT PU MAL TOURNER "

" MAIS IL A SU REBONDIR ET FAIRE UNE NOUVELLE CARRIÈRE!

Chez dédé ∞ coiffeur.

COUPE VAN GOGH

BICEPS!

SALUT SCALPEL-MAN!

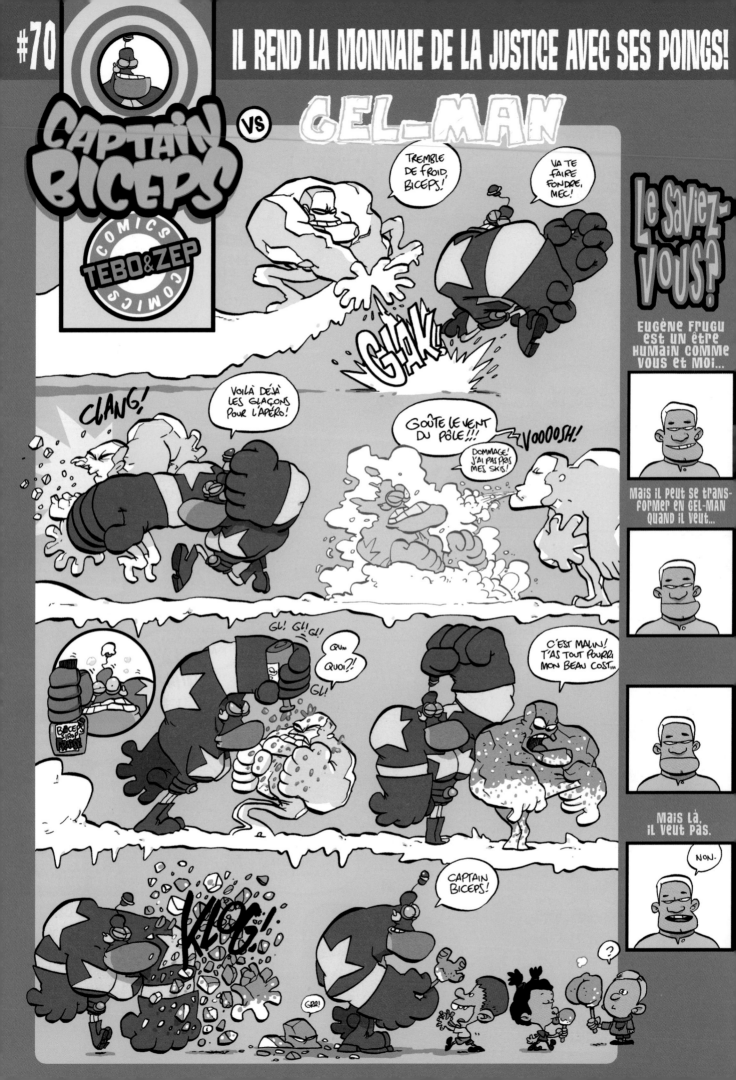

HÉ!

ÇA VA, BICEPS? T'AS PAS L'AIR DANS TON ASSIETTE?...

BEUH!

AH?

J'AI RENCONTRÉ UNE FILLE...

... SUR INTERNET!

ELLE S'APPELLE SUZIE... MAIS JE LA CONNAISSAIS DÉJÀ! C'ÉTAIT UNE CAMARADE DE CLASSE QUAND J'AVAIS HUIT ANS!... J'ÉTAIS FOU D'ELLE!

HAHA! PETIT COQUIN!

OUI, MAIS COMMENT LUI DIRE QUE JE SUIS CAPTAIN BICEPS??! ...

... LE JUSTICIER AUX MUSCLES D'AIRAIN!

BEN... AVEC DES MOTS?

ELLE... ELLE NE COMPRENDRA PAS... ELLE ME PRENDRA POUR UN MONSTRE!...

MEUH NON!

SI, JE TE JURE!

TU N'AS QU'À PAS LUI DIRE... MONTRE-TOI SANS TON COSTUME... ELLE VERRA QU'UN CŒUR BAT SOUS TES PECTORAUX SURDIMENSIONNÉS!

OH! SUZY!

SUZY, SI TU AIMES ELMER RATEAU, LE GARÇON AUX SENTIMENTS PURS, TU AIMERAS BICEPS!!

ÇA FAIT TOUT DRÔLE DE ME MONTRER SANS ARTIFICES!...

SAURAI-JE LAISSER PARLER MON CŒUR?

WHAHAHA! RATEAU! TOUJOURS LE MÊME LOOK DE NAZE!

ELMEEER RATEAAAUU!

LES SUPER-HÉROS À ÉVITER

LE HARENG

SUPPO-MAN

LE PERROQUET

KLEPTO-MAN

CLAYDER-MAN

CROTTES-DE-NEZ-MAN

BOUDE-MAN

SUPER SOURD

LÉPREUX-MAN

CHIEUSE-GIRL

ONGLE-MAN

SUPER RIDICULE

SES OS SONT EN ACIER, SES MUSCLES EN BÉTON!

KLIK.

BI-CEPS!

BON... QU'EST-CE QUE JE VAIS FAIRE DE TOI, MAINTENANT?

TU POURRAIS M'ASSISTER DANS LES COMBATS...

... À DEUX, NOUS SERIONS CINQ... EUH TR... DEUX FOIS PLUS FORT!

AU MOINS.

CAPTAIN BICEPS!

D'UN AUTRE CÔTÉ, TU ES LA CRÉATURE DU DR. NUISIBLE...

... QUI SAIT DE QUOI TU ES CAPABLE?

SI ÇA SE TROUVE, TU VAS METTRE LA VILLE À FEU ET À SANG!

AU NOM DE LA LOI JE... AÏE!

BI-CEPS!

NON!

JE NE PEUX COURIR CE RISQUE... JE VAIS LE DÉSACTIV...

CAPTAIN BICEPS!

ALLÔ? CAPTAIN BICEPS, JUSTICIER INVINC... ALI? MAMAN!...

HEU... NON! TU NE ME DÉRANGES PAS!

PILOU? C'EST L'HEURE DE LA PROMENADE DE KIKI!

AH? ...

J'AI PENSÉ QUE TU POURRAIS AIDER TA PAUVRE MAMAN!

HEU...

PARFAIT! AU PASSAGE, TU IRAS M'ACHETER UN PAQUET FAMILIAL DE PAPIER TOILETTE!

MAMAN, JE...

À TOUT DE SUITE!

WIF.

WIF!

HUM.

CAP-TAIN : CLIC- BI-CEPS!

CLAC!

CAP-TAIN BIIII-

'CLICK- CEPS!

KIAÏ!

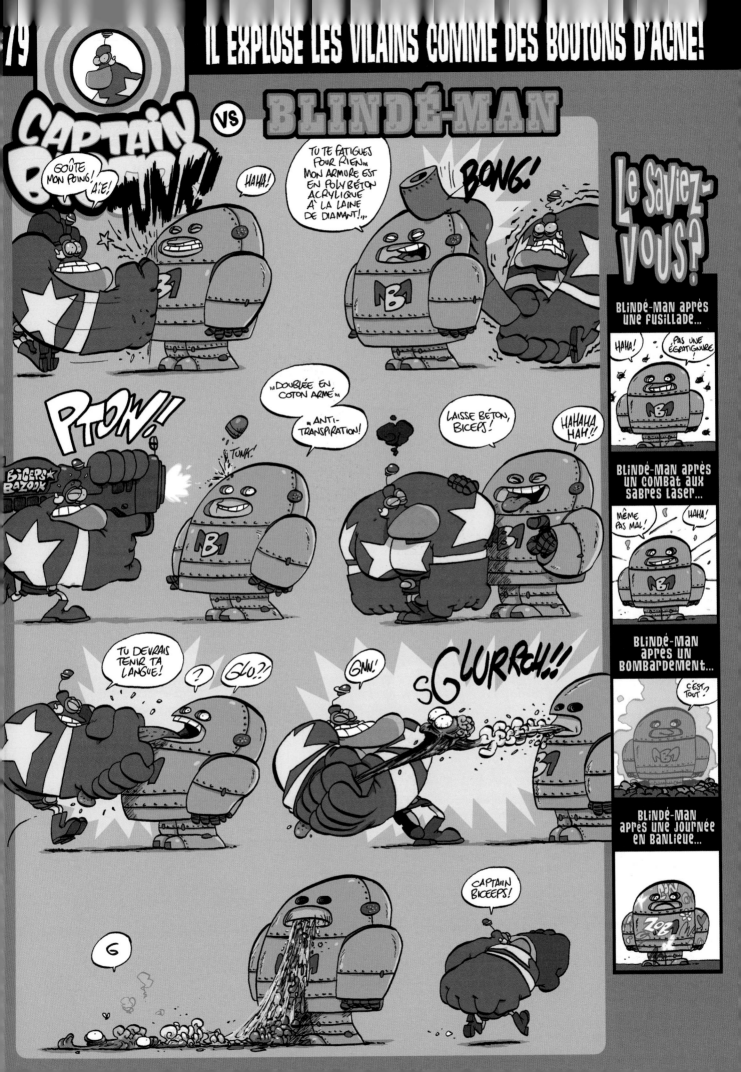